In copertina:
Stemma della famiglia Pamphilj. Decorazione della volta del Salone del Poussin.

Redazione:
Marina Fiorentino
Fotografie:
Araldo De Luca/Scala
Progetto Grafico Editoriale:
Stefano Fiorentino

Printed by "Arti Grafiche" StampArte, Calenzano (Firenze), 2005

Eduard A. Safarik

Galleria
Doria Pamphilj

I capolavori della pittura

Arti Doria Pamphilj s.r.l.

SCALA

INTRODUZIONE

LA FAMIGLIA

Il cognome Doria Pamphilj Landi dell'attuale famiglia deriva da due matrimoni avvenuti nel XVII secolo. Il primo tra Giovanni Andrea II Doria (1607-40) e Maria Polissena Landi (1608-79), principessa di Valditaro, ultima di una stirpe consanguinea degli imperatori Svevi; e il secondo tra Giovanni Andrea III Doria Landi (1653-1737) con Anna Pamphilj (1652-1728), appartenente al casato di papa Innocenzo X (1574-1655). Sia Giovanni Andrea II che Giovanni Andrea III discendevano dal ramo della famiglia Doria di Genova reso illustre da Andrea I Doria (1466-1560), noto come il «Liberatore della Patria», per avere sottratta Genova al giogo dello straniero e per essere stato grande ammiraglio dell'imperatore Carlo V e primo principe di Melfi.

Tra i membri ecclesiastici della famiglia, oltre al già citato Pontefice, vanno notati i cardinali Girolamo Pamphilj (1545-1610) che fu amico di San Filippo Neri; Benedetto Pamphilj (1653-1730), mecenate delle arti e in particolare della musica; Giuseppe Maria Doria (1751-1816) che fu segretario di Stato sotto il pontificato di Pio VI; mentre tra quelli laici sono da ricordare Filippo Andrea V (1813-76) che fu vicesindaco di Roma subito dopo l'unione di questa città al regno d'Italia nel 1870; ed,

infine, Filippo Andrea VI (1886-1958) che per la sua probità morale e la sua inflessibile opposizione al fascismo, subito dopo la liberazione di Roma, nel 1944, ne fu nominato sindaco.

LA GALLERIA

L'atto di nascita della Galleria, il 1651, è costituito da un breve di Giambattista Pamphilj, eletto al trono pontificio nel 1644 quale Innocenzo X, che sottopose le pitture e l'arredamento del palazzo Pamphilj in Piazza Navona al vincolo della restituzione ereditaria, istituendo nella famiglia Pamphilj la primogenitura e investendone suo nipote Camillo, figlio del defunto fratello Pamphilio e della potentissima cognata Donna Olimpia Maidalchini (1594-1657).

In quest'epoca nella raccolta Pamphilj era custodito già il ritratto del papa, commissionato a Velázquez nel 1650. Questo primo nucleo di opere d'arte si è arricchito notevolmente quando, nel 1647, Camillo sposò Olimpia Aldobrandini (1623-1681), principessa di Rossano, vedova di Paolo Borghese. Nella raccolta entrarono così alcuni rilevanti dipinti ferraresi e le opere di Raffaello, Tiziano, Parmigianino e Beccafumi. Verso la metà del secolo Don Camillo, che patrocinò con lo zio i maggiori artisti contemporanei quali Bernini, Borromini, Pietro da Cortona e Algardi, già possedeva quattro tele di Caravaggio (una, "La Buona Ventura", attualmente al Louvre, è stata da lui regalata nel 1665 a Luigi XIV), e acquistò numerosi dipinti bolognesi - tuttora una parte predominante della raccolta -, capolavori di Claude Lorrain e alcuni pezzi delle collezioni Bonello e Savelli.

Il ruolo di primissimo piano che ebbe la famiglia Pamphilj a Roma e l'aumentare dei quadri rese naturalmente necessaria la loro degna collocazione. Il palazzo rinascimentale, già dei della Rovere, in Via del Corso, che era poi diventato nel 1601 proprietà degli Aldobrandini (ne rimane la testimonianza nelle sei lunette carraccesche, commissionate nel 1603 dal cardinale Pietro per la cappella privata) viene successivamente incorporato nella progressiva crescita del Palazzo Pamphilj al Collegio Romano, costruito da Antonio Del Grande tra il 1659 e il 1675.

Nel Palazzo al Corso si parla già tra il 1678 e il 1681 della "Stanza dei Quadri" e in seguito si distinguono la «Stanza degli Animali» e la «Stanza dei Paesi».

Quest'ultima rispecchia la predilezione dei Pamphilj per questo genere di pittura, rappresentato tuttora in Galleria con i quadri di maggior rilievo. Dopo la morte del cardinale Benedetto, avvenuta nel 1730, si ravvisa nel Palazzo al Corso un fervore di attività per sistemare i quadri e adeguare l'interno a nuove esigenze d'eleganza. L'architetto Gabriele Valvassori, tra il 1731 e il 1734, applica la facciata sul Corso e chiude la loggia superiore del cortile bramantesco, ricavandone quattro bracci e trasformando un'ala nella Galleria degli Specchi.

Nel 1760 la diretta discendenza Pamphilj si estingue e subentra il ramo Doria Pamphilj il quale porta alla collezione i capolavori del Bronzino e di Sebastiano del Piombo nonché la famosa serie di arazzi, oggi a Genova, nel Palazzo del Principe di proprietà della famiglia. Ripristinati nel 1816 in Roma i fidecommessi, viene inclusa anche la raccolta Doria Pamphilj; nel 1871 questi vincoli sono sostituiti dalla legge italiana dell'inalienabilità e della indivisibilità.

Nel 1838 viene inaugurato da Filippo Andrea V il salone Aldobrandini. Con gli acquisti dei primitivi alla fine del secolo XIX da parte del principe Alfonso, bisnonno degli attuali proprietari, si chiude la tradizione collezionista. In quell'epoca termina anche un vasto lavoro di riordinamento per separare la Galleria dall'appartamento privato rendendola così più accessibile al pubblico.

Maestro di Borgo alla Collina

Attivo a Firenze nella prima metà del secolo XV

1 Madonna col Bambino sul trono, tra gli angeli e i Santi Antonio, Pietro, Giovanni Battista e Matteo

Il prezioso, ma purtroppo frammentario trittico, il cui autore porta ora il nome convenzionale, assegnatogli solo di recente, di Maestro di Borgo alla Collina, è stato considerato da Bernard Berenson un'opera del cosiddetto Maestro del Bambino Vispo, personalità di maggior portata artistica, con la quale l'autore della nostra tavola, un anonimo pittore forse oriundo di Spagna, è stato spesso confuso a causa dei comuni particolari morfologici nella tipologia delle figure. In precedenza sono stati proposti anche i nomi di Pietro di Domenico da Montepulciano e di Gherardo Starnina, quest'ultimo un importante protagonista del gotico internazionale, il quale potrebbe però essere identificato con il già citato Maestro del Bambino Vispo.

La denominazione di Maestro di Borgo alla Collina si basa su un trittico raffigurante lo *Sposalizio mistico di Santa Caterina tra San Francesco, l'Angelo e Tobia, San Michele Arcangelo e San Ludovico di Tolosa,* ubicato nella parrocchia dell'omonima località del Casentino.
Il nostro quadro, ad esso affine, è stato acquistato, per 7.500 scudi, da Filippo Andrea V Doria Pamphilj Landi nel 1854 presso il pittore romano Luigi Cochetti (che lo pensò eseguito da Taddeo di Bartolo), insieme con altri quattro dipinti, tra cui un *Compianto su Cristo morto* di Hans Memling, un *San Sebastiano* di Fra Bartolomeo, poi alienato a Londra, un *Giudizio universale* di Marten de Vos e una *Battaglia* di Palamedesz, ora esposta in Galleria.

Tempera e oro su tavola, cm 218x258
(complessivamente, inclusa la cornice; superficie dipinta del pannello centrale,
cm 143x78; dell'anta sinistra, cm 112x78; dell'anta destra, cm 112x77;
del tondo centrale, diam. cm 13; dei tondi laterali, diam. cm 23)
Appartamenti privati, Fumoir, s.n. d'inv.

Filippo Lippi
Firenze, circa 1406 - Spoleto, 1469

2 L'Annunciazione

Si ignora la data precisa dell'acquisto di questa tavola, che tuttavia, presumibilmente, entrò nella collezione ai tempi di Filippo Andrea V Doria Pamphilj Landi (1813-1876), il quale arricchì l'antica raccolta di famiglia soprattutto con alcuni notevoli dipinti di alta epoca.

È sorprendente il cospicuo numero di quadri che Fra Filippo dedicò all'*Annunciazione,* fra i quali l'esemplare più significativo è forse quello conservato alla National Gallery di Londra, ma si possono ricordare anche altri esempi, come quelli della Alte Pinakothek di Monaco, degli Uffizi a Firenze, della Galleria Nazionale di Roma e della National Gallery di Washington. La predilezione dell'artista per questo tema, deriva quasi sicuramente dall'interesse risvegliato in lui dal padre domenicano Antonino Pierozzi, arcivescovo di Firenze dal 1446 (morto nel 1459), resosi famoso per i suoi sermoni tenuti nel duomo e raccolti nella *Summa theologica,* tra i quali spiccano soprattutto le lunghe dissertazioni, che il Lippi indubbiamente conosceva, sul tema dell'Annunciazione. E appunto in quegli anni, tra il 1445 e il 1450, è stato molto probabilmente eseguito il nostro quadro.

La metafora della luce intesa come veicolo metafisico, il significato allegorico della comunicazione celeste che coglie la Vergine alla spalla, *super brachium,* e vi si imprime come un sigillo, *ut signaculum,* ha fortemente stimolato l'immaginazione del pittore, il quale si trovava, come tanti suoi predecessori e successori, di fronte all'irrisolvibile problema di come poter raffigurare la fecondazione della Madre di Dio: "Lo Spirito Santo verrà sopra di te e la potenza dell'Altissimo ti coprirà della sua ombra (Luca, 1,35)".

Nel dipinto esaminato, dove forse l'intelaiatura architettonica potrebbe spettare ad un aiuto di bottega, l'artista mostra in alto le mani di Dio che emergono dalle nuvole e inviano la colomba dello Spirito Santo, che a sua volta scende lungo una scia luminosa, la quale infine prende di mira la spalla della Vergine, trasmettendo attraverso la luce materializzata la Volontà Divina.

Tavola, cm 117x173 (superficie dipinta)
Appartamenti privati, Sala verde, s.n. d'inv.

Bernardino Parenzano

Parenzo, att. al 1450 - Padova (?), *ante* 1500

3 Tentazioni di Sant'Antonio

È molto singolare il linguaggio di questo pittore di origine istriana, attivo tra Mantova e Padova (non identificabile però con l'omonimo monaco-profeta [1437-1531], come si era pensato), la cui cultura di discendenza mantegnesca con reminiscenze ferraresi, è caratterizzata da una scrittura sin esageratamente curata e da inclinazioni miniaturistiche di gusto nordico che si esprimono in una linearità cristallina, metallica e lucente. Il paesaggio angoloso, scheletrico, immerso in una luce plumbea, ripulito spietatamente e come devastato, provoca nella sua istantanea fissità un'angoscia totale, come se gli eventi si svolgessero in un terrario umano messo sotto vuoto.
Le tre tavolette Doria Pamphilj illustrano i fatti della vita di Sant'Antonio Abate (251-356), padre del monachesimo, raccontati da Sant'Atanasio nel IV secolo in un libro di grande successo. La prima (vedi fig. in basso a sinistra), che porta sul tergo una scritta antica: DEC. ORA. PRI, forse decifrabile come *Decet Oratio Principem* (ossia: La preghiera si addice al principe), narra come Antonio, di circa diciotto-vent'anni, dopo la morte dei genitori, "vendette... tutti gli altri beni mobili che possedeva e, ricavatone molto denaro lo distribuì ai poveri". La seconda tavola (vedi fig. in basso a destra) è dedicata alle tentazioni del Santo; laddove gli alberi hanno perso le foglie, e i tronchi neri, i rami rigidi, sottili sgorbi contro il cielo luminoso, appaiono come acqueforti sullo sfondo delle pareti brune di montagne, sulla terra spaccata senza logica, il diavolo prima tenta di allontanare Antonio dai suoi esercizi ascetici, ispirandogli il ricordo delle

Tavola, cm 46,4x58,2
Galleria, Saletta del Quattrocento, n. d'inv. FC 419

ricchezze, il desiderio del denaro, la vanagloria e il piacere del cibo e in seguito spunta sulla strada nel deserto, nascosto in un enorme vaso d'argento, avvenimento, questo, riunito qui all'episodio precedente, che sinora non ho mai visto rappresentato. Nel terzo componente la predella, infine, dove incombe fortissimo e terribile il potere del Male con tutte le caratteristiche peggiori del genere umano, la sua innata repellenza e orrenda pazzia e dove sulla roccia a forma di teschio compaiono esorcizzatori, il Nemico si trasforma in forme maligne, in belve e bestie feroci, ma un raggio di luce scende verso Antonio e una voce dice: "Io ero qui, Antonio, ma volevo vedere la tua lotta, e poiché l'hai sostenuta e non sei stato vinto, sarò sempre il tuo aiuto". Questa è la morale del ciclo, che non sappiamo se sia completo o se vi manchino altri elementi, quali forse il commiato dalla sorella, le visioni erotiche o l'incontro con Paolo.

Le *Tentazioni di Sant'Antonio,* tema che suscitò l'interesse di artisti da Bosch, Grünewald, Schongauer fino a Flaubert, si trovano citate come opera del Mantegna nell'elenco fidecommissario del 1819, mentre sono state registrate insieme ad altri due componimenti nel Palazzo in Piazza Navona, in un inventario redatto alla morte di Camillo Pamphilj nel 1666.

Le tre tavole del Parenzano sono situabili, quanto allo stile, all'epoca degli affreschi padovani in Santa Giustina, eseguiti attorno al 1494 (il pittore abitava nel monastero tra il 1492 e il 1496): fa uno strano effetto poter pensare che queste *Tentazioni* in terra spaccata e arida, tra chimere e mostri, sono state forse dipinte nell'anno della scoperta del "Nuovo mondo".

Tiziano (Tiziano Vecellio)

Pieve di Cadore, 1488/1489 - Venezia, 1576

4 Giuditta con la testa di Oloferne (già *Salomè*)

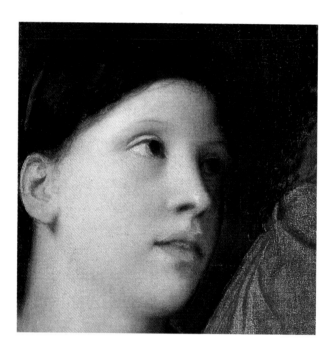

Questo capolavoro, una delle più belle e poetiche creazioni del Cadorino, per la cui datazione la critica concorda con la cronologia attorno al 1515, è certamente da annoverare tra i più importanti dipinti della Galleria. Nel 1592 il quadro era ubicato nella raccolta di Lucrezia d'Este, passando poi in quella del cardinale Pietro Aldobrandini, dove è citato nel 1603, giungendo di seguito, in eredità, a Olimpia Aldobrandini, e infine, tramite suo figlio Giovanni Battista Pamphilj, nell'attuale collezione.

Curiosamente, al Casato romano appartenevano, sin dai tempi del cardinale Aldobrandini, due esemplari diversi di questa composizione, di cui il secondo, più debole, indubbiamente copia di un seguace, è stato alienato nel 1798-99 ed è approdato nella Fondazione Norton Simon a Fullerton in California.

Sia al tempo in cui il dipinto si trovava nella raccolta della duchessa di Urbino, sia successivamente quando passò in quella Aldobrandini, vi si voleva vedere raffigurata Erodiade, moglie di Erode e madre di Salomè, mentre alcuni visitatori stranieri che ammiravano quest'opera di Tiziano, esposta nella Villa Aldobrandini a Montecavallo, come François Deseine nel 1713 o Charles de Brosses nel 1739/40, la consideravano una Giuditta, parere che mi trova consenziente.

Questo frequente equivoco si è riflesso anche nella storiografia moderna. Infatti, se il personaggio del dipinto fosse Erodiade, vestita qui di rosso acceso, che reca sul vassoio la testa di San Giovanni Battista, la fanciulla in abito verde alla sua destra dovrebbe essere Salomè, ma niente di regale contraddistingue le due figure femminili, mentre l'atteggiamento seducente della protagonista si addice bene alla Giuditta, eroina ebraica, una ricca e attraente vedova che, decapitato l'oppressore Oloferne, ne regge ora il capo assistita dalla propria ancella, tema spesso trattato anche come simbolo della virtù.

Che l'interpretazione del soggetto sia quella giusta, lo conferma il fatto che nella collezione di Alfonso I d'Este, duca di Ferrara, viene citata nel 1533 una *Giuditta* di Tiziano, considerata smarrita, ma da identificare, senza il minimo dubbio, con il nostro dipinto, proveniente appunto dalla raccolta di Lucrezia d'Este, nipote di Alfonso I.

Tela, cm 89,5x73
Galleria, Saletta del Cinquecento, n. d'inv. FC 517

Raffaello Sanzio

Urbino, 1483 - Roma, 1520

5 Ritratto di Andrea Navagero e Agostino Beaziano (?)

Questo austero doppio ritratto di altissima tenuta stilistica, orchestrato sullo sfondo verde, in cui i due personaggi, concepiti forse intenzionalmente dall'artista a mo' di busti romani, sembrano incomunicanti fra loro, ha destato sempre poco entusiasmo da parte della critica che non si è mai dedicata seriamente alla problematica di questo dipinto e, anche se la paternità raffaellesca è stata ormai quasi concordemente accettata, l'identità dei due personaggi è rimasta quanto mai discutibile: si è voluto ravvisarvi Lutero e Calvino (inventario Pamphilj del 1684 circa), o Bartolo da Sassoferrato e Baldo degli Ubaldi, due giureconsulti trecenteschi (inventario di Olimpia Aldobrandini *ante* 1665), proposte queste insostenibili, oppure Andrea Doria e Cristoforo Colombo, idea allettante, e infine Andrea Navagero e Agostino Beaziano, riconoscimento assai plausibile

accolto dalla letteratura più recente.
Sappiamo da una lettera di Pietro Bembo del 3 aprile 1516, destinata al cardinale Bibbiena, di una comune gita di Raffaello, Castiglione, Navagero e Beaziano, programmata per il giorno successivo a Tivoli; nasce così, verosimilmente, l'intenzione di realizzare il doppio ritratto di Andrea Navagero (1483-1529; umanista e letterato, dal 1515 bibliotecario alla Marciana, che lasciò Roma alla fine di aprile diretto a Venezia; il suo ritratto dovrebbe essere quindi stato compiuto prima della sua partenza) e di Agostino Beaziano (trevigiano, nato verso l'ultimo decennio del secolo XV e morto nel 1549; egli si avviò alla carriera diplomatica per intercessione del Bembo, che lo condusse con sé permettendogli di stringere rapporti con i più famosi personaggi dell'ambiente romano) e di destinarlo al comune amico

Tela, cm 77x111
Galleria, Saletta del Cinquecento, n. d'inv. FC 130

Bembo, nella proprietà del quale veniva infatti citato nel 1538, quando questi lo donò al sopravvissuto Beaziano, pregandolo "ad aver cura che [le due teste] non si guastino". Anche il coetaneo Marcantonio Michiel conferma queste circostanze, aggiungendo inoltre che il doppio ritratto era dipinto su tavola, fatto che ha condotto una parte della critica a rifiutare il quadro Doria Pamphilj, considerandolo una copia, in quanto su tela. Tale riserva può essere facilmente smentita, dato che la nostra opera, già ricordata nella raccolta del cardinale Pietro Aldobrandini nel 1603 (come "Due ritratti insieme di mano di Raffaelle Da Urbino", quindi senza la distinzione anagrafica dei due personaggi), passò in seguito in quella di Olimpia Aldobrandini Pamphilj, dove viene citata prima del 1665 come tela applicata su tavola, la quale è stata in seguito rimossa, rimanendo solo il supporto attuale.

Parrebbe quindi corretto identificare il nostro dipinto (di cui al Prado si conservano due copie con ritratti separati) con il *Ritratto di Navagero e Beaziano,* eseguito da Raffaello nell'aprile del 1516 per rammentare la loro amicizia, ma non si possono negare certe perplessità soprattutto per quanto concerne l'età degli effigiati che sembrerebbe maggiore dei loro rispettivi trentatré e ventisei anni circa. Inoltre, altre immagini sicure di Andrea Navagero, come quella tizianesca di Berlino del 1526 o quella in una collezione privata romana, ci lasciano ulteriormente in dubbio riguardo all'identificazione: sono ben note, infatti, le difficoltà nel giudicare le somiglianze somatiche, soprattutto quando attinenti a personaggi storici. Il problema del *Doppio ritratto* di Raffaello nella Galleria Doria Pamphilj rimane quindi tuttora insoluto.

Parmigianino (Francesco Mazzola)

Parma, 1503 - Casal Maggiore, 1540

6 Madonna col Bambino

Tavola (centinata), cm 58,8x34,1
Galleria, Braccio IV, n. d'inv. FC 290

Nell'inventario dei dipinti del cardinale Pietro Aldobrandini, compilato da Giovanni Battista Agucchi nel 1603, viene menzionato un quadro a due facce, con una *Natività* su una ed una *Madonna* sull'altra, tavola che passerà in eredità nel 1638 da Ippolito Aldobrandini alla sua unica nipote Olimpia, coniugata in seconde nozze con Camillo Pamphilj *senior.* In questa medesima proprietà, in un elenco redatto prima del 1665, l'opera è ancora ricordata come integra, "con cornice dorata a frontispitio del Parmigianino con piedestallo coperto di velluto cremesino con passamano d'oro", quindi, evidentemente, tenuta in grande considerazione, a mo' di piccolo altarino destinato probabilmente, *ab origine,* a devozione privata.

Ancora nel 1709 l'anconetta risulta in queste condizioni e solo successivamente la tavola viene divisa in due parti autonome (per la *Natività* si veda fig. a destra). Prima di questi riscontri archivistici, le due immagini erano considerate come due opere autonome create a *pendant.* Nella raccolta dello stesso cardinale Pietro Aldobrandini era conservata nel 1603, curiosamente, anche un'altra piccola *Natività* circondata da angeli, del Parmigianino, non identica però a quella in parola.

Questo delizioso brano di pittura sacra dai ritmi curvi e flessuosi, dove la Madonna con le mani giunte in commovente e dolce spiritualità, e il Bambino che tiene una colomba su un libro aperto, di indubbia ispirazione correggesca, appaiono sullo sfondo di alberi mossi da una leggera brezza, è probabilmente databile attorno al 1525, quindi all'incirca al tempo degli affreschi di Fontanellato, ossia prima del soggiorno romano dell'artista.

Sebastiano del Piombo (Sebastiano Luciani)

Venezia, circa 1485 - Roma, 1547

7 Ritratto di Andrea Doria

Tavola, cm 153x107
Genova, Palazzo del Principe, s. n. d'inv.

Portava il soprannome del Piombo, dovuto alla carica di Piombatore pontificio, preferiva la bigia lavagna quale supporto dei propri dipinti, intonava in un color di ardesia l'effigie del patrizio genovese, che la tradizione vuole come un suo capolavoro, proiettando sullo sfondo una ombrosa, tetra gobba, motivo inquietante - *umbram suam metuit?* -, l'artista veneziano Sebastiano Luciani, per il quale il grigio, che non è mai splendente, ma sempre cupo, sordo e greve, dovette comportare gravi e piuttosto negative implicazioni psicologiche. Ma è anche vero che i riflessi della luce sul piombo sono più intensi e dove è molta ombra, c'è anche tanta luce, *lumina inter umbras clariora sunt,* soprattutto nell'opera di un pittore, il cui appellativo è, secondo antichi miti, portatore di fortuna ed equivale alla stella.

I simboli marittimi, allusivi al grande ammiraglio: un'ancora, un acrostolio, una prora rostrata, un timone, un chenisco e un aglustro, che decorano il parapetto, sono desunti da un fregio in marmo di epoca imperiale romana, che ai tempi del pittore si trovava esposto nella basilica di San Lorenzo fuori le Mura, attualmente nel Museo Capitolino.

Possiamo ben immaginare quale fortissimo effetto provocasse questo dipinto quando si trovava esposto, nel 1855, in un Gabinetto della Galleria insieme con il *Ritratto di Innocenzo X* di Velázquez. Vi si confrontavano attraverso centoventiquattro anni di storia i due più illustri personaggi del Casato: un energico e minaccioso uomo di mare, raffigurato in piedi, che con il gesto imperioso della mano destra puntata verso il basso parrebbe esclamare: "Piegati, davanti a me!" ("il nome suo, tremar veggio ogni prode", scrive infatti Lodovico Ariosto nelle ottave dell'*Orlando Furioso,* dedicate ad Andrea Doria), colto in un monocromo grigio, e un orgoglioso e potente uomo di chiesa, rappresentato seduto e ripreso in un monocromo rosso.

Non è però la prima volta che l'effigie di Andrea Doria (1466-1560) viene messa a confronto o attira l'interesse di un pontefice. Infatti, Francesco Gonzaga riferisce in una lettera scritta da Roma il 29 maggio 1526 (una settimana prima viene promossa da Clemente VII, a Cognac, la lega antimperiale) al padre Federico a Mantova: "Feci l'officio de visitatione [al papa, Clemente VII] cum M [esser] Andrea Doria... N[ostro] S[ignore, cioè il pontefice] volse che prima chel [Andrea Doria] partesse de qui si facesse retrare a Sebastiano che è pittore excelentissimo et S[ua] S[antità] ha voluto il ritratto appresso sè, che è signo de lo amore che li porta". Questa preziosa testimonianza sulla data dell'esecuzione del dipinto, chiarisce anche la questione della committenza del quadro, giunto nella raccolta patrizia romana dal Palazzo Doria di Fassolo soltanto dopo il 1790.

Ortolano (Giovanni Battista Benvenuti)

Ferrara, circa 1487 - Ferrara, *post* 1524

8 Natività con i Santi Francesco, Maddalena e Giovannino

Tavola (centinata), cm 279,5x156,1
Galleria, Saletta del Quattrocento, n. d'inv. FC 312

Il dipinto si trovava in origine nella chiesa di S. Maria dei Servi a Ferrara, dove venne in seguito sostituito da una copia, ricordata nella guida locale del 1770 come collocata in sagrestia. Per quanto mi è stato rivelato dall'archivista dell'Ordine dei Servi di Maria, la tavola fu trasferita da Ferrara a Roma nel 1527, data questa, che per quanto mi si dice, è attestata da un documento, che purtroppo non mi è stato possibile controllare. Durante il restauro della pala nel 1948 è stata scoperta la data MDXXVII, ora non controllabile, apposta al margine inferiore sotto la cornice, riferibile forse al tempo dello spostamento del quadro e non già all'anno della sua esecuzione. Sfortunatamente si ignora la data della morte dell'artista, generalmente indicata come avvenuta dopo il 1524, circostanza che non ci aiuta a chiarire la questione. Si tratta in ogni caso di un'opera della maturità del pittore, che ricevette l'insegnamento di Lorenzo Costa, ma seguì sia gli impulsi della cultura lagunare belliniana, sia il classicismo raffaellesco. La stesura pittorica è affine alla *Deposizione* della Galleria di Capodimonte di Napoli, del 1521, e alla *Santa Margherita* di Copenaghen, datata 1524. In entrambe queste opere si notano la medesima nitida e limpida caratterizzazione dei volumi, nonché le forme pure e semplici delle figure monumentalizzate in primo piano, così come il cromatismo delicato che sugli sfondi tende ai toni trasparenti dei blu, verdi e gialli.

Jacopo Tintoretto (Jacopo Robusti)

Venezia, 1519 - Venezia, 1594

9 *Ritratto di un giovane gentiluomo*

Tela, cm 105x92
(con una giunta in alto; misure originali: cm 99x92)
Galleria, Saletta del Cinquecento, n. d'inv. FC 165

È sconosciuta l'identità anagrafica del giovane gentiluomo, che ci osserva con quell'aria inquietante e indecifrabile, talvolta ravvisabile nei ritratti di Tintoretto degli anni attorno al 1555 - come ad esempio nel *Ritratto di Onofrio Panvinio* della Galleria Colonna, databile in questo stesso periodo -, che alcuni critici riconducono alla lirica giorgionesca (al Giorgione infatti il nostro dipinto è stato attribuito negli elenchi fidecommissari del 1819), mentre questo atteggiamento emotivo, caratterizzato da una penetrante componente psicologica, è una prerogativa che risale piuttosto a Lorenzo Lotto, come dimostra lo stesso *Ritratto di un uomo trentasettenne* della collezione Doria Pamphilj. L'attenzione dell'artista non è quindi tanto rivolta verso una singola persona, quanto è piuttosto concentrata sull'immagine della spiritualità di un essere umano, non riconducibile ad un individuo specifico e perciò sempre priva di quelle vuote formule decorative che dominavano la ritrattistica ufficiale europea di quegli anni.

Una semplice cappa scura ornata di pelliccia, poca o nessuna articolazione spaziale, una calda intonazione, una granulosa materia nell'impasto dell'incarnato, un gestire semplice che ci guida verticalmente dalle mani alla testa, sono alla base di questo "discorso aperto" che il Tintoretto conduce con noi e con sé stesso.

Paris Bordon

Treviso, 1500 - Venezia, 1571

10 Venere e Marte con Cupido

La bella cortigiana, vestita di intenso color scarlatto che scorre a cascatelle lungo il suo corpo, oltre ad apparire nella veste di Venere, con un pomo (o un'arancia - che anche il Bambino Gesù può reggere in luogo del pomo -, e che sta per il desiderio, quindi di equivalente valore metaforico), simbolo dell'amore e della bellezza, regalatole da Bacco - un frutto dalle molteplici associazioni erotiche, che allude anche al nome proprio dell'artista (Paris) -, assume pure il significato allegorico della Vittoria, che di solito tiene nella destra una melagrana e nella sinistra un elmo, rinviando con esso, a sua volta, a Marte, disarmato da Cupido, fanciullo alato, figlio di Venere, seduto sulla corazza. Marte, secondo Aristotele, si congiunge a buona ragione con Venere,

perchè gli uomini di guerra sono fortemente inclini alla libidine.

La Venere vittoriosa si appoggia su un ceppo, dietro cui un cervo, simbolo della nobiltà e della cortesia ed emblema della casa reale francese, non solo indica una tale possibile committenza, ma contiene un'assimilazione di Marte con Atteone, del quale il cervo è attributo. Le sue corna, simili, appunto, a rami di alberi, si rinnovano periodicamente, simboleggiando una vita che continuamente rinasce. Giunti a questo punto, possiamo tentare una più articolata lettura del testo, nel quale, dietro il comune tema mitologico di Marte, Venere e Cupido, si cela un'*Allegoria della vittoria dell'amore (e della bellezza) che continuamente risorge sul vigore*

Tela, cm 118x130,5;
firmato in basso a sinistra sul tronco dell'albero: .O. PARIDIS./bordono
Galleria, Braccio I, n. d'inv. FC 321

marziale, un soggetto quindi che potrebbe essere stato dedicato a due innamorati, oppure, al contrario, rispecchiare il mondo delle cortigiane, come parrebbero indicare i seni nudi, il colore della veste e le trecce bionde della protagonista.

Non sorprende perciò che tra il 1649 e il 1652, quando il dipinto appare per la prima volta citato nella raccolta del Don Camillo *senior,* collocato accanto a numerosi altri importanti quadri tuttora esistenti nella galleria, come *Endimione* del Guercino, *Dedalo e Icaro* del Sacchi, *Angelo musicante* di Tiziano e il raffaellesco *Ritratto di Melchiorre Baldassini,* il suo soggetto sia rimasto enigmatico e non decifrato. È evidente che questa sensuale favola mitologica di straordinaria ricchezza cromatica, piena di preziosità stilistiche, nonché di qualità decorative nella ricchezza e bellezza delle stoffe, va ricollegata con la cultura cavalleresca, con le raffinate cortesie del comportamento aristocratico, con le opere erotiche, con le squisite e ricercate esperienze manieristiche, proprie di Fontainebleau. Sappiamo che l'artista visitò la corte di Francia forse due volte, nel 1538/1539 durante il regno di Francesco I e nel 1559/1560, ai tempi di Francesco II. Dalla critica più recente è stata sostenuta la datazione del nostro dipinto sia nel primo, sia nel secondo di questi soggiorni; penserei però che sia da preferire il secondo, in quanto meglio si addice allo stile evoluto dell'opera.

Jacopo Bassano (Jacopo dal Ponte)

Bassano, circa 1510 - Bassano, 1592

11 Paradiso terrestre

Il cielo in controluce di primo mattino sopra i monti distanti, la rigogliosa vegetazione, le radure tra i boschi, i cespugli verdeggianti, gli alberi, le piante, i fiori e gli animali da cortile, una capra, un gallo, un coniglio, gli agnelli e copiosi uccelli in alto, ed ancora un pavone in posizione predominante, rivolto verso il futuro, verso destra, che allude indubbiamente all'immortalità della prima coppia umana innanzi al peccato originale ed infine una lucertola (non un simbolo della *vanitas* come è stato proposto di recente), distesa, come la vuole la tradizione, verso oriente - infatti sorge il sole in questa direzione sopra il Grappa lontano sullo sfondo! - dominano l'arcadica scena, dove la presenza dell'uomo sembra solo un elemento secondario, il cui significato emblematico è lasciato alla nostra immaginazione. Niente di concreto, né alcun attributo svelano l'identità di questa coppia seminascosta tra gli alberi e il terreno ondeggiante, in cui l'uomo si china sopra la donna per ricevere forse il fatidico ordine.

La delicata poesia di questa pittura "di genere", la cui evoluzione è stata determinata in gran parte dagli esempi che ne offrì Jacopo nei primi anni Settanta del Cinquecento - tale è infatti la presumibile data di esecuzione del nostro dipinto - è stata in seguito largamente divulgata dalla sua bottega. Non è infatti neppure escluso che all'esecuzione della parte paesaggistica di quest'opera, che è stata preparata da Jacopo in un disegno a sanguigna a Berlino, relativo alle due figure (o forse questo schizzo è un "ricordo" di Leandro, tratto dalla composizione di Jacopo, come lo pensa il Rearick?), possa aver partecipato il figlio Francesco.

Tela, cm 77x109
Galleria, Braccio III, s. n. d'inv.

Caravaggio (Michelangelo Merisi)

Caravaggio, 1573 - Porto Ercole, 1610

12 Riposo durante la fuga in Egitto

Il dipinto, al quale sono state dedicate sofisticate letture iconografiche ed acute analisi stilistiche, era già noto a Giulio Mancini che lo elencava (1619 - 1621 circa) insieme ad altre opere appartenute tutte più tardi ai Pamphilj: "Nel qual tempo [nel periodo giovanile] fece [Caravaggio] molti quadri ed in particolare una zingara che dà la bona ventura ad un giovanetto [donato nel 1665 da Camillo Pamphilj a Luigi XIV], la Madonna che va in Egitto, la Madalena Convertita [vedi fig. sulla pagina seguente in basso], un S. Gio. Evangelista [forse una svista per Battista]". Ignoriamo la committenza della *Fuga in Egitto* (quella Aldobrandini è comunque da escludere) e non sappiamo nemmeno in quale preciso momento essa sia pervenuta nella raccolta Pamphilj: soltanto tra il 1649 e il 1652 la troviamo per la prima volta ricordata nella collezione del principe Camillo, della quale, in quel periodo, non facevano parte i beni ex Aldobrandini.

Il Caravaggio, che rompe con la rappresentazione tradizionale di questo tema, è un esegeta inconsueto e la sua poetica invenzione risulta iconograficamente rivoluzionaria. Quale protagonista dell'evento il pittore inserisce nella scena un Angelo visto di spalle, situandolo in posizione prominente, nella sezione aurea che divide la composizione in due porzioni: la sinistra, con San Giuseppe, l'asino e i sassi è dedicata alla vita terrena, mentre la zona destra, che comprende la Madonna con il Bambino tra le piante vive, è consacrata al mondo divino. Lo stesso Angelo semisvestito, di cui ambigue letture sono state forzatamente proposte, corrisponde invece molto precisamente alle coeve interpretazioni di Costantino Ghini del 1595 (la datazione del dipinto, eseguito in parallelo con la *Maddalena,* potrebbe oscillare tra il 1595 e il 1597) e di Federico Borromeo, secondo le quali la nudità angelica è segno della immunità da qualsiasi contagio delle miserie umane, così come anche i piedi scalzi indicano libertà e purezza dalle cose terrene.

Nel nostro dipinto, l'Angelo suona un mottetto in onore della Madonna, *Quam pulchra es ..,* composto da Noël Bauldewijn sul testo del *Cantico dei Cantici* (7,7) con dialogo fra Sposo e Sposa (intesi nel quadro non tanto come Giuseppe e Maria, ma piuttosto come Gesù Cristo e la Madonna, cioè la Chiesa): "Quanto sei bella e quanto

Tela (tovaglia), cm 135,7x166,5
Galleria, Saletta del Seicento, n. d'inv. FC 241

leggiadra, o amore, fra le delizie! La tua statura somiglia
a una palma e ai suoi grappoli le tue mammelle".
Nel Vangelo dello pseudo-Matteo (20,1), dedicato
significativamente alla Fuga in Egitto, ritorna poi la
medesima immagine metaforica dell'albero di palma
pieno di frutti.
Il motivo principale della *Fuga in Egitto*
caravaggesca è quindi rappresentato dalla musica
udibile in terra, che è considerata dai Padri della Chiesa
una copia di quella celeste. L'intermediario fra questi
due mondi è il suono invisibile che prende nell'arte la
forma di Angelo musicante, questo messaggero divino
che si trova al confine fra la realtà materiale e quella
spirituale. Dio comunica con gli uomini tramite gli
Angeli, che sono i suoi mediatori: "[è l'] Angelo che mi
parlava", dice Zaccaria, mentre per Ezechiele l'Angelo è:
"l'uomo vestito di lino", appunto come ce lo presenta il
Caravaggio.

Annibale Carracci

Bologna, 1560 - Roma, 1609

13 Paesaggio con la fuga in Egitto

Tela (lunetta), cm 122x230
Galleria, Braccio I, n. d'inv. FC 236

Quando il 2 giugno 1601 vengono scoperti gli affreschi di Annibale Carracci della volta della Galleria Farnese, all'avvenimento partecipa anche Pietro Aldobrandini, nipote e segretario di Stato di Clemente VIII. Questa contingenza avvia probabilmente i rapporti tra il porporato e il pittore emiliano, tanto che l'anno successivo il cardinale commissionerà all'artista un dipinto con *Domine quo vadis?* (attualmente alla National Gallery di Londra), incaricandolo inoltre, tra il 1603 e il 1604, di decorare con sei lunette la propria cappella privata, ora inesistente, ma allora ubicata nello stesso luogo in cui oggi si trova l'ingresso privato dell'appartamento nobile del Palazzo Doria Pamphilj al Corso. Da una pianta antica risulta che essa aveva tre ingressi e sei pareti di diverse misure, due più grandi, due medie e due più piccole, sulle quali erano collocate le altrettante lunette. La *Fuga in Egitto,* una delle due maggiori, era probabilmente sistemata sulla parete di fronte all'altare, a destra della porta d'ingresso che conduceva all'attuale Salone Aldobrandini. Annibale Carracci ha con ogni probabilità disegnato tutte e sei le tele, tuttavia ammalatosi nel 1605, la commissione passò al suo collaboratore Francesco Albani, il quale, in quell'anno, ricevette il primo pagamento. Poco tempo dopo, Pietro Aldobrandini, entrato in conflitto con Paolo V, lasciò Roma il 21 maggio 1606 per tornarvi soltanto nel 1610. Intanto i lavori procedettero sotto la direzione

dell'Albani, che ne ottenne il compenso finale soltanto nel 1613.

La critica concorda nel ritenere che solo la *Fuga in Egitto* e la *Deposizione* spettino integralmente al maestro, mentre le altre quattro componenti: la *Visitazione,* l'*Adorazione dei pastori,* l'*Adorazione dei Magi* e l'*Assunzione,* pare competano ai collaboratori Giovanni Lanfranco, Sisto Badalocchio, Domenichino e allo stesso Francesco Albani; ma è compito arduo specificare il loro contributo individuale alla comune impresa.

Dalla *Fuga in Egitto,* testo costituzionale di fondamentale importanza per la pittura seicentesca, il paesismo "classico", composto, misurato, ideale, si riversa, in sintonia con la visione aristotelica dell'Agucchi, privilegiata nella cerchia Farnese-Aldobrandini, nell'opera di Poussin e oltre ancora, nei classicisti tedeschi Anton Koch e Philipp Hackert. L'aria riposante, i piani dolcemente ondulati che si perdono verso l'orizzonte lontano e la stessa barca - simbolo della vita - su un placido corso d'acqua in primo piano, creano una poesia tutta particolare, che si basa sull'effetto del ripetuto. Questo motivo del "già visto" e conosciuto, costante del paesaggismo italiano, dal Carracci al Domenichino, dal Viola al Grimaldi, dal Dughet al van Bloemen, suscita sempre una piacevole sensazione di familiarità.

Domenichino (Domenico Zampieri)

Bologna, 1581 - Napoli, 1641

14 Paesaggio con guado

Tela, cm 47x59,5
Galleria, Braccio IV, n. d'inv. FC 227

È impossibile appurare se il quadro proviene dalla raccolta del cardinale Pietro Aldobrandini, nella quale si trovava nel 1603 "un quadro con un paese con diverse figurette" del Domenichino alto palmi due e mezzo, come sembrerebbe assai probabile - in questo caso sarebbe stato eseguito prima di tale data -, oppure se esso risale alla collezione del maggiordomo del porporato, Giovanni Battista Agucchi, al quale il pittore, tra il 1604 e il 1605, fece "alcuni paesaggi a olio di gran vaghezza e perfettione", come riferisce il Mancini (1619-1621 circa). Comunque sia, parrebbe certo che sia stato Monsignor Agucchi a raccomandare al suo padrone le opere del giovane artista bolognese, trasferitosi a Roma nel 1602, il quale sotto la guida di Annibale Carracci contribuì alla fortuna e divulgazione del paesaggio classico ed ideale. Il racconto aneddotico del dipinto si presta a diverse interpretazioni: gli atteggiamenti delle figure, quali l'osservazione, l'azione e l'attesa, rappresentati da sinistra a destra da una persona singola, da una coppia e da un gruppo familiare, e differenziati in rosso, blu e giallo, parrebbero corrispondere alle tre diverse prospettive storiche, passato, presente e futuro, immaginate come, rispettivamente, una donna che ricorda il cammino percorso, un uomo che porta la sua compagna in spalla guadando un fiume, un campagnolo con moglie e figli intento a togliersi i calzari. Sembra che si voglia illustrare il proverbio secondo cui "chi ha passato il guado, sa quant'acqua tiene". Il finale rimane tuttavia aperto alle più svariate congetture: l'uomo in mezzo all'acqua arriverà alla meta e l'altro, ora in attesa sulla riva, lo seguirà? Il profondo significato morale del racconto si comprende soltanto con l'alto livello intellettuale della committenza Aldobrandini - Agucchi. Il fare episodico, la "gran vaghezza", le pennellate sciolte, la tavolozza solenne, gioiosa, la limpida aria atmosferica, la luce diffusa, potrebbero anche apparire come ingenue, ma è un'ingenuità ricercata e raffinata, più voluta che reale.

Guercino (Giovanni Francesco Barbieri)

Cento, 1591 - Bologna, 1666

15 Erminia ritrova Tancredi ferito

Il dipinto è stato commissionato nel 1618 (data significativa dell'inizio della Guerra dei Trent'anni), dal famoso mosaicista Marcello Provenzali da Cento - ma probabilmente terminato dal pittore soltanto nell'anno successivo (comunque una incisione in controparte, dedicata a Francesco Dondini, ne è stata tratta già nel 1620) -, e da lui donato a Stefano Pignatelli, creato cardinale nel 1621 e morto nel 1623. Non sappiamo in quale preciso momento l'opera giunse nella raccolta patrizia romana, ma essa appare menzionata per la prima volta nell'ottobre 1657 nel Castello di San Martino, presso Viterbo, di proprietà di Olimpia Maidalchini

(1594-1657; moglie di Pamphilio, fratello di Giovanni Battista, poi papa Innocenzo X), passando in eredità al figlio Camillo Pamphilj. Una copia seicentesca di circa dieci centimetri più larga, in una collezione privata a Parigi nel 1987, potrebbe testimoniare una eventuale decurtazione del nostro dipinto sul lato sinistro, dove la composizione parigina risulta più svolta.

Tancredi, secondo quanto racconta Torquato Tasso nella *Gerusalemme Liberata* (canto XIX, 104-114), dopo essere stato ferito da Argante durante l'assedio di Gerusalemme, viene soccorso da Vafrino che, rimossa l'armatura e scoperte le ferite, avverte Erminia ("Al

Tela, cm 145,5x187,5
Galleria, Braccio I, n. d'inv. FC 259

nome di Tancredi ella veloce/accorse, in guisa d'ebbra e forsennata./Vista la faccia scolorita e bella,/non scese no, precipitò di sella".), la quale medicò le piaghe insanguinate dell'amato con le fasce intrecciate dei propri capelli. Questo preciso evento del poema tassesco è stato menzionato da Gian Paolo Lomazzo come "paradigmatico dell'espressione di tragica sorpresa". Come è già stato notato, sulla narrazione del tema influiscono due famosi soggetti cristiani: *Il compianto su Cristo morto* e *San Sebastiano curato dalle pie donne*. La monumentale movimentata drammaticità della composizione, che sembra erompere oltre i limiti circoscritti della cornice, le luci e ombre fortemente contrastate, le tinte vellutate, lo stile personalissimo, gli incarnati intonati ad avorio, la gamma dei gialli, ocra e grigio-verdi color nafta, attestano a questo indubbio capolavoro dell'artista, che qui meditò sui prototipi bassaneschi e fettiani, una posizione di spicco nella sua opera.

Domenico Fetti

Roma, 1588/1589 - Venezia, 1623

16 Santa Maria Maddalena penitente

Tela, cm 98x78,5
Galleria, Braccio III, n. d'inv. FC 272

L'immagine di questa famosa peccatrice pentita, prototipo della penitente nell'arte cristiana, è diventata uno dei soggetti prediletti dell'arte europea tra il Cinquecento e il Seicento: la stessa Galleria ne conserva alcuni importanti esempi, dal Carracci al Caravaggio, dal Fetti al Preti, dall'Isenbrant al van Loo, di interpretazione iconografica diversa.

Il Fetti, l'artista che in soli tredici anni di attività percorse una stupefacente parabola, dal realismo oggettivo al contenuto lirico, dalla forma serrata alla erosione spaziale, dal saldo modellato plastico alla pittura di tocco spezzato e agitato, dalle pennellate descrittive a quelle tortuose, dalle tinte asciutte a quelle grasse e liquefatte, dal colore locale a quello tonale, dalla concretezza analitica verso un'aria dolcemente sentimentale, ispirandosi alla *Maddalena in lettura* del Correggio e rappresentando la sensuale e seducente eroina dagli occhi socchiusi, con la testa abbassata e con il caratteristico gesto della mano a cui è appoggiato il

capo, dal significato intensamente melanconico, equivalente alla *tristitia,* concepisce questo tema appunto come la *Meditazione* o la *Melanconia.*

Si ignora quando la tela pervenne nella presente raccolta, ma essa si potrebbe ragionevolmente identificare con quella "donna con un braccio al viso", descritta senza il nome dell'autore, che Innocenzo X dona, il 28 dicembre 1644, a Don Camillo Pamphilj, suo nipote, insieme con altri quadri che il pontefice ha avuto in eredità da Giovanni Battista Astalli, vescovo di Troia, visto che la *Maddalena* fettiana è l'unico dipinto della Galleria corrispondente in pieno a tale descrizione.

Giova ricordare che nel 1617 viene edita a Mantova la *Maddalena,* dramma di Giovan Battista Andreini, che potrebbe aver offerto uno spunto per l'esecuzione del dipinto; comunque il *terminus ante quem* è il 1621, data in cui fu ceduta una copia (ora a Hampton Court), forse attribuibile a Lucrina Fetti, sorella del pittore, al duca Ferdinando Gonzaga.

Jusepe de Ribera, detto lo Spagnoletto

Játiva, 1591 - Napoli, 1652

17 San Girolamo
e la tromba del giudizio

*Tela, cm 128,5x102; firmato sul dorso del libro
nell'angolo destro inferiore: Jusepe de Ribera/espanol
F./1637*
Galleria, Braccio IV, n. d'inv. FC 366

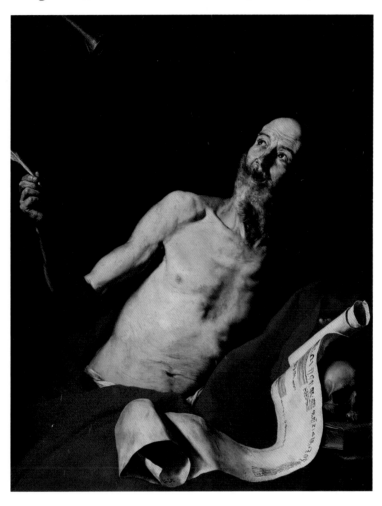

L'immagine di San Girolamo, uno dei quattro Padri della Chiesa, così cara all'accesa religiosità popolare, diventa anche uno dei temi prediletti del Ribera, tanto che la storiografia più recente elenca quarantaquattro diverse redazioni di questo soggetto.
Nella stessa raccolta di Camillo Pamphilj si trovava tra il 1649 e il 1652, nel Palazzo al Corso, un quadro, ora smarrito, rappresentante una "mezza figura nuda al naturale, che con una mano si batte il petto, e con l'altra rege una testa di morte", non identico, però, a quello presente (che non è invece riscontrabile negli elenchi seicenteschi della raccolta), dove il santo, che crede di sentir squillare la tromba del giudizio, è intento a scrivere. Dalla sua bocca sembra che sgorghi un grido che ci giunge come in sogno: lo si sente senza poterlo udire.
La data sul dipinto è stata erroneamente decifrata come 1629 o 1639, mentre è certamente 1637 (in tale anno Renato Cartesio pubblica il *Discorso sul metodo*),

periodo in cui si accumula il maggior numero di opere firmate e datate, quindi il culmine dell'attività dell'artista di origine spagnola, attivo prevalentemente a Napoli e strettamente legato alla cultura partenopea. In quell'anno il pittore, allora quarantaseienne, comincia a lavorare per i monaci della Certosa di San Martino, per la quale creò le sue opere più ragguardevoli, come la *Pietà*, collocata nella sagrestia della chiesa.
La scelta dei modelli umili, la luce calda, la densa e pastosa materia, la cromìa accesa, il chiaroscuro esaltato, il realismo crudo e appassionato nell'interpretazione degli eventi drammatici, sono alla base del suo successo, ma soprattutto con la spietata immersione nella tragica realtà umana, la poetica riberesca giunge tramite Luca Giordano a Venezia, per condizionare l'estetica dei "tenebrosi".

Hans Memling

Seligenstadt sul Meno, att. al 1435 - Bruges, 1494

18 Compianto su Cristo morto con un donatore

Tavola, cm 69,2x53,2
Saletta del Quattrocento, s. n. d'inv.

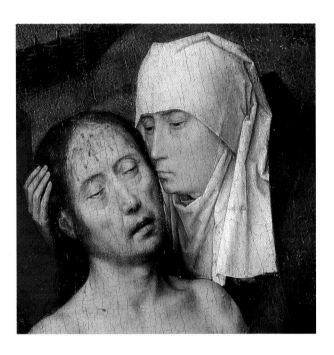

La preziosa tavola, considerata tra le migliori creazioni dell'artista, è stata acquistata dal senatore Filippo Andrea V Doria Pamphilj Landi (1813-1876) nel 1854 presso il pittore romano Luigi Cochetti (1802-1884), insieme con altri quattro quadri (tra cui anche il polittico attribuito al Maestro di Borgo alla Collina) complessivamente per 7.500 scudi.

Questo tema devozionale di profonda religiosità, una tra le più commoventi testimonianze del destino umano, si riferisce all'episodio immediatamente successivo alla Deposizione dalla Croce: i protagonisti ne sono la Madonna, San Giovanni Evangelista e Maria Maddalena. In secondo piano si scorgono le tre croci e una tomba aperta sullo sfondo di una città murata che indubbiamente sta per Gerusalemme. Ignoriamo purtroppo l'identità del donatore orante, raffigurato sulla destra,che è il medesimo personaggio, effigiato dal Memling, insieme con moglie e figlioletto, in due tavolette mutile, sportelli di un trittico,

ora al Museo di Bucarest, il cui pannello centrale è disperso. Questa ripetuta presenza dello stesso committente, testimonia indubbiamente gli stretti rapporti personali intercorsi tra questi e l'artista nel periodo attorno al 1480, anno in cui il Memling acquistò a Bruges una "magna domus lapidea", diventando uno dei cittadini più agiati. La medesima data appare anche sul trittico eseguito per Adriaan Reins (ora a Bruges, Ospedale di San Giovanni), nello scomparto centrale del quale viene variata la partitura figurale della nostra composizione.

Il suadente motivo della Madonna che abbraccia strettamente la testa insanguinata ed esanime del Figlio, elemento che non si riscontra in altre composizioni consimili (trittico Reins e trittico Kaufman), è stato desunto dall'artista dalla *Pietà* di Rogier van der Weyden, ora nella National Gallery di Londra.

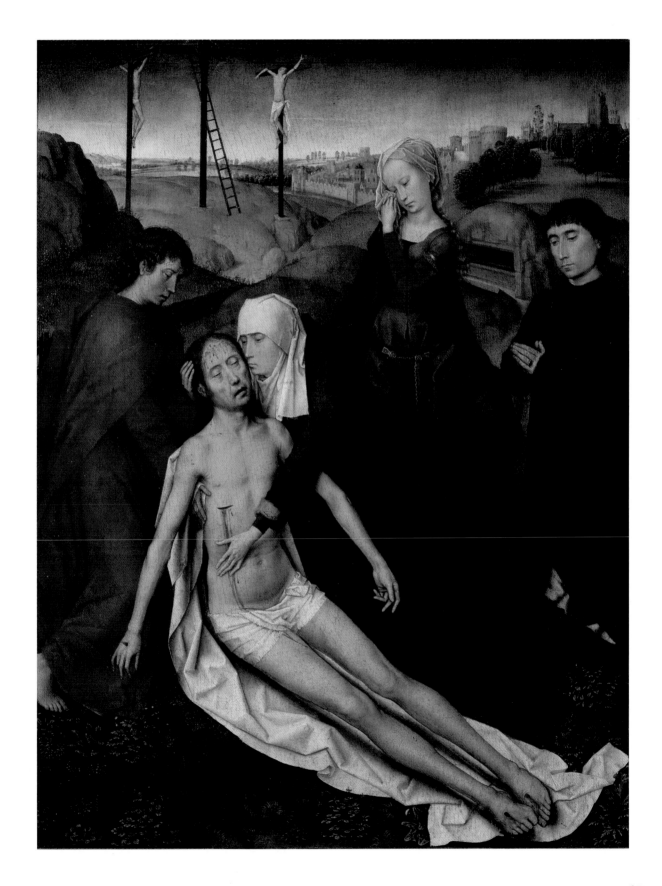

Jan Gossaert, detto Mabuse

Maubeuge, tra il 1470/1480 - Breda, 1532

19 Sant'Antonio con un donatore

Tavola (centinata), cm 45,9x27,5
(inclusa la cornicetta; superficie dipinta, cm. 40,2x22);
lungo il fodero della spada la scritta: IHESUS NÃRV
Appartamenti privati, Sala verde, s. n. d'inv.

Nel 1508, anno della lega di Cambrai contro Venezia, il pittore fiammingo accompagna a Roma Filippo di Borgogna in una missione diplomatica che si protrarrà fino all'anno successivo, viaggio che permette al maestro nordico un fruttuoso contatto con l'arte antica, provocando in lui di conseguenza l'abbandono del manierismo gotico e la riapertura verso l'osservazione realistica e l'oggettiva visione analitica.

In quel 1508 è stato con ogni probabilità eseguito anche il nostro dittico, di cui l'ala sinistra (vedi fig. a fianco), raffigurante la *Madonna in una chiesa,* è una copia del famoso prototipo di Jan van Eyck (ora nei musei di Berlino), databile attorno al 1425. La figura della Madonna, che si erge in grandezza soprannaturale nella navata di una chiesa gotica, allude al fatto che la madre di Cristo è stata spesso evocata come *templum* o come *domus dei,* perché Cristo, durante la sua incarnazione, abita in lei come in un tempio. Nell'esemplare berlinese si intravede, sul lembo della sua veste, una scritta che si riferisce alle saggezze di Salomone: "haec est speciosior sole super omnem stellarum disposicionem luci comparata invenitur prior candor".

Indubbiamente anche il dipinto di Berlino aveva in origine un elemento di destra con il donatore, ora smarrito, come testimonia non solo il dittico Doria Pamphilj, ma anche quello del Museo di Anversa, attribuito al Maestro di Bruges del 1499.

Nel 1530, secondo quanto riferisce Marcantonio Michiel, la nostra anconetta, ascritta a Rogier van der Weyden, si trovava a Venezia nella famosa raccolta di Gabriel Vendramin, il quale viene ricordato inoltre come primo proprietario della *Tempesta* di Giorgione. In questa occasione veniamo anche a sapere il nome del donatore, Antonio Siciliano, ossia Siziliano, segretario del duca di Milano, raffigurato sull'elemento destro, inginocchiato con il cane accanto, sullo sfondo di un paesaggio montuoso deliziato in primo piano da un prato fiorito, nell'atto di essere presentato dal suo patrono Sant'Antonio alla Madonna, effigiata sullo sportello opposto.

Dopo la morte di Vendramin nel 1552, i suoi nipoti si spartirono la ricca eredità; successivamente troviamo il dittico in un'altra celebre raccolta italiana, quella di Lorenzo Onofrio Colonna, dove il dipinto è elencato nel 1689, per giungere finalmente nella sede attuale, probabilmente tra il XVIII e il XIX secolo, quando le due Casate romane erano unite da legami familiari.

Pieter Bruegel il Vecchio

Breda (?), 1525/1530 - Bruxelles, 1569

20 Battaglia navale nel golfo di Napoli

Ignoriamo quando e dove sia stato procurato questo importante quadro, ma Camillo Pamphilj era un grande ammiratore di questa dinastia di pittori fiamminghi: una *Creazione del mondo,* evidentemente da identificare con il dipinto seguente, la possedeva già prima del 1654. In quell'anno acquistò poi a Parigi da Mme. de Belleville altre opere: "stante il desiderio singolare, che tenevo d'accompagnarli con altri in un mio gabinetto per la stima che faccio in tal maestro a segno, che nell'imitatione dello di lui maniera non posso contenermi...", scrive il principe al nunzio apostolico di Parigi; infine nel 1656 egli acquista un'altra piccola tavola: è forse questa la nostra *Battaglia?* Dopo la morte di Don Camillo, avvenuta nel 1666, nel secondo camerino contiguo alla Galleria del Palazzo di Piazza Navona, erano riuniti numerosi dipinti bruegheliani, frutto di questa sua passione e tra di essi anche il

presente, con una preziosa cornice d'ebano. Ancora nel 1669 venivano acquistate nella Villa Ludovisi ben dieci opere considerate genericamente di "Brugolo Vecchio": due *Paesi* (l'uno su tavola e l'altro su tela), nonché quattro altri quadri su tavola e altrettanti su rame, tanto che tuttora nella raccolta, ben quindici dipinti (dieci in Galleria e cinque negli Appartamenti) ricordano questa attività collezionistica, condivisa anche dai Borromeo e dai Colonna.

Pieter Bruegel il Vecchio, uno dei più grandi geni della pittura, si recò in Italia tra il 1551 e il 1553 in compagnia del famoso geografo Abraham Ortelius, con il quale visitò Messina, Napoli e Roma. Fu indubbiamente in questo periodo che l'artista, probabilmente sollecitato dall'amico, eseguì vari disegni di interesse topografico, che portò con sé in patria. Tra di essi si trovava verosimilmente pure quello raffigurante una *Battaglia*

Tavola, cm 42,2x71,2;
sulla poppa della nave nel centro: R
Galleria, Braccio III, n. d'inv. FC 546

navale nello stretto di Messina, che servì da modello per una incisione di Frans Huys del 1561, di cm 43,8 x 72, corrispondente quindi assai precisamente al formato del nostro quadro, i cui margini non dipinti sono stati però tagliati su tutti e quattro i lati. Attorno a questa data, probabilmente tra il 1560 e il 1562, è da inserire anche la nostra veduta, che alcuni studiosi tendono però ad anticipare al 1558 circa, ma ci sono scarsi appigli per una datazione più precisa. Se ne potrebbe dedurre che anch'essa si basò su un disegno della medesima grandezza e che entrambe le composizioni, stilisticamente affini, furono ideate a *pendant,* la prima con lo stretto dominato dall'Etna e la seconda con il golfo sovrastato dal Vesuvio. Tutte e due le *Battaglie* sono comunque licenze poetiche, non riconducibili a reali eventi storici, così come la forma semicircolare del molo nella *Veduta di Napoli* è

un'invenzione del pittore, topograficamente inesatta. Le raffigurazioni dei due vulcani, che fanno meditare sulle forze misteriose ed universali della natura, rispecchiano quel panteismo neoplatonico dell'artista, secondo cui il Divino anima il mondo dall'interno, convinzione che si riversa nell'osservazione enciclopedica e profonda delle sue immagini, nelle quali l'attività umana è in continuo, predestinato movimento. Una specie di *teatrum mundi* quindi, nel quale si inserisce anche questa immagine di Napoli, vista dall'alto e da lontano, in cui le spumeggianti creste delle onde, mosse dal vento, avanzano verticalmente (!) in profondità verso la riva, in una grande e coraggiosa invenzione prospettica.

Jan Brueghel il Vecchio

Bruxelles, 1568 - Anversa, 1625

21 Paradiso terrestre

Rame, cm 50,3x80,1;
firmato nell'angolo inferiore destro: BRVEGHEL 16[1]2
Galleria, Braccio IV, n. d'inv. FC 341

Figlio di Pieter Bruegel il Vecchio, Jan, che soggiornò a Roma tra il 1593 e il 1594 (date, queste, apposte su altri due dipinti del pittore in Galleria), si rese famoso soprattutto per le sue ricchissime composizioni floreali, per le Allegorie dei Sensi, degli Elementi e delle Stagioni, nonché per i paesaggi con mulini, sentieri nel bosco, selve, villaggi e mercati, curati con minuziosa raffinatezza e contraddistinti da una finemente equilibrata successione dei piani prospettici che conducono dalle quinte verdeggianti fino ai blu evanescenti dei monti lontani.

Un foltissimo gruppo di opere è dedicato a paesaggi con paradiso terrestre (se ne conoscono circa 106 redazioni), tra le quali risaltano, oltre al nostro esemplare, anche le versioni di Budapest, di Hampton Court e del Louvre. Alcuni motivi, come il cavallo bianco sulla sinistra, oppure i leopardi sulla destra, sono derivati dalle opere di Peter Paul Rubens, con il quale l'artista talvolta collaborò. Le numerosissime creature, le fiere assieme agli animali domestici, gli uccelli esotici sui rami e quelli acquatici nello stagno, sovrastato da un ramo sul quale, oltre alle scimmie, penzola la composita coda del pavone, intanto che due capre cercano di raggiungere le gemme delle rose avvinte attorno al tronco di un albero di pero, dove fra le fronde si nascondono dei gatti, sono tutti rappresentati in coppie, come se si volesse accennare al loro ingresso nell'Arca, mentre le minuscole figurine di Adamo ed Eva, a sinistra sullo sfondo, evocano il momento della Tentazione.

Sappiamo che Camillo Pamphilj aveva una predilezione per l'opera dei Brueghel; infatti, dopo la sua morte nel 1666, troviamo nel Palazzo di Piazza Navona il dipinto qui esaminato accanto alla serie dei *Quattro elementi* e alla *Veduta di Napoli*.

Jan van Kessel il Vecchio

Anversa, 1626 - Anversa, 1679

22 Tavola imbandita con vasi di fiori, cesti e piatti di frutta e piccoli animali

Rame, cm 41,9x76,9
Galleria, Saletta del Seicento
n. d'inv. FC 253

Allievo dello zio Jan Brueghel il Giovane e quindi diretto discendente da parte materna di Pieter il Vecchio e Jan il Vecchio, l'artista fiammingo si dedicò prevalentemente alle nature morte, in cui di frequente vengono rappresentati i cibi disposti con sontuosità sulle mense di fondi chiari, disegnati con la finezza di un miniaturista a punta di pennello con tinte vivaci dai predominanti accenti rossi.

La funzione documentaria, informativa, didattica e comunicativa di queste tavole riccamente imbandite, dove i singoli oggetti vengono semplicemente addizionati ed evidenziati da un punto di vista leggermente rialzato, si intreccia con la manifesta intenzione di dimostrare l'agiatezza della benestante committenza di queste opere, in cui spesso si possono scorgere anche propositi allegorici che rimandano allusivamente ai cinque sensi o ai quattro elementi, ma su questa plausibile lettura prevale sempre un godimento puramente e soprattutto estetico, la gioia di osservare questi begli oggetti, raccolti con tanta profusione e resi palesi con squisita materia pittorica.

Nella Galleria è esposto anche un dipinto compagno, una variazione al medesimo tema.

Claude Lorrain (Claude Gellée)

Chamagne, 1600 - Roma, 1682

23 Paesaggio con mulino e figure danzanti

Le vicende storiche di questo capolavoro sono strettamente legate alle contingenze familiari di Camillo Pamphilj, il quale, nel 1647, rinuncia alla porpora per poter sposare Olimpia Aldobrandini, scelta che provoca la disapprovazione di Innocenzo X, che costringe il nipote ad allontanarsi da Roma e rifugiarsi a Frascati. Probabilmente per esaltare questa sua tanto desiderata unione con la principessa di Rossano, Don Camillo commissiona al pittore lorenese un dipinto raffigurante il *Paesaggio con il matrimonio di Isacco e Rebecca,* eleggendo quale tema del *pendant* il *Porto con l'imbarco della regina di Saba.* Tuttavia il principe, a causa dell'esilio e delle sue disavventure personali, perduto il

favore papale e trovatosi quindi, forse, anche in difficoltà economiche, dovette rinunciare alla commissione. A questo punto subentra nella faccenda il duca di Bouillon, generale dell'esercito pontificio dal 1644 al 1647, il quale, probabilmente dopo aver visto nello studio di Claude il *Mulino,* non ancora consegnato, lo acquista assieme al dipinto compagno (ora entrambi alla National Gallery di Londra). Ristabilitasi la pace in famiglia e riottenuta la benevolenza di Innocenzo X, Don Camillo deve aver rinnovato, nel 1649 circa, la precedente commissione al pittore, il quale eseguì una nuova versione del *Mulino,* di pari misura e di identica eccelsa qualità, scegliendo però questa volta per il

Tela, cm 150,6x197,8
prima del rifodero si trovava sul retro la scritta:
CLAUDIO INV. ROMA QUADRO FAICT PER IL EXCELLENT^{mo} SIG PRINCIPE PANFIL
Galleria, Braccio I, n. d'inv. FC 237

pendant la *Veduta immaginaria di Delfi con una processione* (vedi fig. a fianco), compiuta nel 1650 e tutt'ora conservata in Galleria.

La solare e perfettamente bilanciata composizione, di cromìa delicata, che coglie tutta la freschezza dell'aria primaverile, parrebbe concepita dal pittore non tanto per carpire le azioni più svariate delle figurine che danzano e si dilettano in primo piano, immerse in questa lucida e cristallina atmosfera, quanto soprattutto per concepire una veduta immaginaria con l'intento di creare una realtà superiore, un mondo quindi perfetto, più armonioso ed equilibrato di quello vero.

Diego Rodriguez de Silva y Velázquez

Siviglia, 1599 - Madrid, 1660

24 Ritratto di Innocenzo X

"Fu di statura alta, magro, colerico, fegatoso, con la faccia rossa, calvo dinanzi con le sovracciglia grosse, et piegate sopra il naso con un grossissimo episcinio, che dimostrava la sua severità et acerbezza...", così caratterizzava Giacinto Gigli nel 1655 il pontefice (Giovanni Battista Pamphilj [1574-1655], creato cardinale nel 1629 ed eletto al soglio il 16 settembre 1644), apostrofato anche quale "più difforme di volto che fosse mai nato tra gli uomini", mentre Justi e in seguito Morelli consideravano la sua testa "la più ripugnante... di tutti i successori del Pescatore" e "insignificante, anzi volgare", con uno sguardo simile a "quello di uno scaltro avvocato". Tuttavia quest'uomo così brutto e scontroso è stato paradossalmente il soggetto di uno dei più ammirati ritratti del Seicento, e forse di tutti i tempi, come dimostra tra l'altro l'atroce trasformazione che ne dette Francis Bacon negli anni Cinquanta di questo secolo.

È stata spesso ribadita l'unità cromatica di questa effigie, in cui l'incarnato rosso, la mozzetta rossa, il camauro rosso, la poltrona di velluto rosso sullo sfondo di una portiera rossa, creano un effetto così drammatico, che se il pontefice aprisse la bocca, anche la sua saliva sarebbe rosso sangue. Tutto questo ammontare di tinte cremisi, talvolta, come nella mozzetta, dai riflessi freddi, "alla luce di neon", così mirabilmente orchestrato, risale indubbiamente agli esempi tizianeschi, mentre la realizzazione della contrastante cotta bianca si rifà certamente al Veronese, unico pittore veneziano cinquecentesco che abbia saputo maneggiare questo difficile "non-colore". Un uomo di potere, tutto di un pezzo, raffigurato in magenta, colore aggressivo e vitale, che insieme al bianco simboleggia la creazione, evoca il proverbio "Rosso oppure morto", ossia *Aut nihil, aut Caesar,* tutto o niente, significato che si addice bene al protagonista del capolavoro di Velázquez. Il pittore, in quegli anni, ritrasse a Roma anche altri personaggi legati alla corte papale, come il cardinale Camillo Astalli - Pamphilj, Monsignor Camillo Massimi, Donna Olimpia Maidalchini Pamphilj, Monsignor Abate Ippolito e Cristoforo Segni.

Ma come spiegare la Lettera nella Mano Sinistra? Perché la si è voluta spostare dalla destra, dove il Santo Padre la reggeva originariamente...?

Il *Ritratto di Innocenzo X,* compiuto nel 1650 ed esposto nel 1855 di fronte al *Ritratto di Andrea Doria* del 1526 - in tale maniera la grigia austerità rinascimentale era rivitalizzata dalla rossa magniloquenza barocca -, non ha mai lasciato la Casa: la prima nota inventariale, redatta tra il 1649 e il 1652, lo ricorda nella raccolta di Camillo Pamphilj, nipote del Papa, nel Palazzo al Corso, come opera di "Diego Velasco spagnolo", mentre nel 1684 circa, ai tempi del principe Giovanni Battista Pamphilj, figlio di Camillo e Olimpia Aldobrandini, troviamo il dipinto esposto nel Palazzo al Collegio Romano, nel grande salone, ora chiamato "Salone del Poussin", collocato soltanto nel secolo XIX nel piccolo Gabinetto della Galleria, dove attualmente si trova.

Tela, cm 141x119;
sulla lettera la scritta: Alla Sant.ta di Nro Sig.re/Innocencio
X°/Per/Diego de Silva Velázquez dela Ca-/mera di S.M.ta Catt.ca/...
Galleria, Saletta di Velázquez, n. d'inv. FC 289

Nel presente catalogo il numero progressivo di ciascuna opera è differente da quello con cui essa è esposta in Galleria.

1 Maestro di Borgo alla Collina

2 Filippo Lippi

3 Bernardino Parenzano

4 Tiziano (Tiziano Vecellio)

5 Raffaello Sanzio

6 Parmigianino (Francesco Mazzola)

7 Sebastiano del Piombo (Sebastiano Luciani)

8 Ortolano (Giovanni Battista Benvenuti)

9 Jacopo Tintoretto (Jacopo Robusti)

10 Paris Bordon

11 Jacopo Bassano (Jacopo dal Ponte)

12 Caravaggio (Michelangelo Merisi)

13 Annibale Carracci

14 Domenichino (Domenico Zampieri)

15 Guercino (Giovanni Francesco Barbieri)

16 Domenico Fetti

17 Jusepe de Ribera, detto lo Spagnoletto

18 Hans Memling

19 Jan Gossaert, detto Mabuse

20 Pieter Bruegel il Vecchio

21 Jan Brueghel il Vecchio

22 Jan van Kessel il Vecchio

23 Claude Lorrain (Claude Gellée)

24 Diego Rodriguez de Silva y Velázquez

Galleria Doria Pamphilj
Piazza del Collegio Romano, 2
00186 Roma
Tel. 06 67 97 323

Palazzo del Principe
Via Adua, 6
16126 Genova
Tel. 010 25 55 09

www.doriapamphilj.it